ÉTONNANT*iss!mes*

JEAN-CLAUDE GRUMBERG

Marie des grenouilles

Dossier par HÉLÈNE MONNOT

Illustrations par MAURO MAZZARI

Mise en page par Meta-systems 59100 Roubaix
N° d'édition : L.01EHRN000293.C004
Dépôt légal : avril 2012
Imprimé en Espagne par Novoprint (Barcelone)

Avant de commencer

« L'auteur tragique le plus drôle de sa génération »

Jean-Claude Grumberg est né à Paris, en 1939, à la veille de la Seconde Guerre mondiale. En 1942, son père et ses grands-parents sont déportés dans les camps de concentration dont ils ne reviendront pas.

Dès l'âge de quatorze ans, Jean-Claude Grumberg doit gagner sa vie en effectuant divers métiers, dont celui de tailleur, la profession qu'exerçait son père. Il commence à faire du théâtre, le soir, dans une troupe amateur. Sa passion pour les planches est telle qu'elle le conduit à dix-huit ans à prendre une décision radicale : il fera du théâtre et rien d'autre ! Il passe des auditions et entre dans la compagnie Jacques Fabbri ; il y est d'abord aide régisseur puis comédien.

C'est en signant sa première pièce *Demain une fenêtre sur rue*, en 1968, qu'il acquiert le statut de dramaturge. Depuis, il a composé près d'une quarantaine de pièces de théâtre. Le poète Claude Roy le présente comme « l'auteur tragique le plus drôle de sa génération ». En effet, dans chacune de ses œuvres, les personnages sont confrontés à un monde particulièrement violent, auquel ils résistent par la dérision et l'humour. C'est notamment le cas dans *Dreyfus...* (1974), *L'Atelier* (1979) et *Zone libre* (1990), trois des pièces les plus connues de Jean-Claude Grumberg, qui abordent le génocide juif (la première évoque l'avant-guerre en s'intéressant à la condition juive dans la Pologne des années 1930, la deuxième se déroule en France dans l'immédiat après-guerre, envisageant la situation des juifs rescapés des rafles et des camps ; la dernière suit une famille juive pendant l'Occupation, en zone libre). Ces pièces ont toutes été récompensées par des prix. Mais Jean-Claude Grumberg n'est pas uniquement dramaturge ; il adapte aussi à plusieurs reprises les œuvres des autres pour la scène et travaille pour la télévision et le cinéma en tant que scénariste.

En 1999, il se tourne vers un nouveau public, les enfants, en publiant une pièce de théâtre, *Le Petit Violon*, qui s'inspire d'un conte de Charles Dickens. Dans cette lignée, il écrit ensuite d'autres pièces pour les enfants, mais qui s'adressent aussi aux adultes, à la croisée des deux genres – le conte et le théâtre : *Iq et Ox* (2003), *Pinok et Barbie* (2004), *Le Petit Chaperon Uf* (2005), *Mange ta main* (2006) et, avant elles, en 2002, *Marie des grenouilles*, publiée dans la collection « Heyoka Jeunesse » chez Actes Sud. Toutes ces œuvres mêlent le merveilleux et l'humour à l'Histoire et à sa violence pour dispenser un message de tolérance et permettre de rêver, comme Marie et Brillant, les protagonistes de *Marie des grenouilles*, à un « monde en paix ».

Raconte-moi une histoire !

Dans *Marie des grenouilles*, le premier personnage à apparaître est le *conteur*. Seul en scène, dans un monologue, il situe l'action de l'œuvre. Ce genre d'introduction au théâtre est appelée un *prologue*. On le trouve employé dès l'Antiquité, notamment dans le théâtre du Grec Euripide.

Ici, le prologue n'est pas pris en charge par un acteur mais par un personnage *a priori* étranger au domaine théâtral : le conteur, celui dont la fonction consiste à raconter à l'oral une histoire, un conte.

Dès le XVIᵉ siècle au moins, les contes se transmettent oralement de génération en génération, lors de veillées populaires et familiales. Les villageois s'assemblent autour des plus vieux qui racontent les histoires. Au XVIIᵉ siècle, en 1665, Charles Perrault met en avant la figure de la conteuse, « mère l'Oye », grâce à ses *Contes de ma mère l'Oye*. Le fameux frontispice (c'est ainsi qu'on nomme l'illustration, souvent une gravure, placée au début d'une œuvre, face à la page de titre ou sur celle-ci) de l'édition originale du recueil montre une vieille femme filant la laine au coin du feu, entourée de trois jeunes personnes qui écoutent avec attention les histoires qu'elle relate.

Une pièce aux allures de conte

Marie des grenouilles est une pièce de théâtre... Pourtant, elle présente tous les ingrédients du conte, que l'auteur reprend en les arrangeant à son goût !

Dès la première page, le conteur nous plonge dans un univers merveilleux... celui des batraciens, peuplé d'une multitude d'espèces de grenouilles – «des vertes, des rousses, des tachetées, des rayées, des moirées, des phosphorescentes, des muettes et des chanteuses, géantes ou microscopiques, communes ou rainettes». Dans cet espace cohabitent aussi des fées, des sorcières et des princes – «charmants ou non». Et tout ce petit monde est dirigé par la Très-Haute, une version féminine de Dieu, dont la présence au début du texte signale d'emblée au lecteur la distance que l'auteur prend avec les contes traditionnels... Le royaume des grenouilles ressemble au jardin d'Éden de la Bible ; mais la guerre qui éclate met fin au paradis ; la Très-Haute envoie alors les fées transformer les grenouilles les plus agressives en hommes.

Si la formule habituelle « il était une fois » apparaît seulement après le prologue, elle est remplacée, dès le début du texte, par des expressions équivalentes marquant le seuil entre le réel et le merveilleux : « Dans la nuit des temps, dans l'obscurité des âges... »

L'œuvre s'ouvre sur une note assez sombre puisque la discorde (c'est-à-dire la division, le conflit) et la guerre règnent à la fois chez les grenouilles et chez les hommes : « C'est en ce temps de désordres, de tristesse et de troubles que commence notre histoire. » Comme souvent dans les contes, la mort d'un personnage, ici un père qui est aussi le roi « d'un pays très lointain », bouscule une situation établie et déclenche l'action. Cette situation initiale rappelle celle de *Cendrillon*, *Peau d'Âne* ou encore *Blanche-*

Neige : dans chacun de ces récits, les héroïnes sont en effet orphelines de mère. Cet état crée un manque qui engage l'action.

Jean-Claude Grumberg connaît ses classiques !

Marie, la « souillonne » des grenouilles, un double de Cendrillon... Comme elle, Marie est chargée d'une tâche ingrate (en l'occurrence, garantir le sommeil du roi et de sa cour en faisant taire les grenouilles qui coassent la nuit dans les douves du château) ; comme la jeune orpheline, elle se trouve mise en rivalité avec ses deux demi-sœurs.

La proximité de Marie avec les batraciens, pour qui elle a une tendresse particulière, rappelle en outre la complicité de la Cendrillon des frères Grimm avec les oiseaux. Les volatiles viennent au secours de la jeune fille lorsque sa belle-mère, pour l'empêcher de participer au bal que donne le roi, vide un pot de lentilles dans des cendres et ne l'autorise à se rendre à la fête qu'à la seule condition d'avoir trié et ramassé les lentilles en moins de deux heures.

Il était une fois, le roi Grenouille... L'histoire de *Marie des grenouilles*, et notamment la transformation de la grenouille en prince, fait aussi écho au conte populaire allemand *Le Roi grenouille*, qui figure dans le premier volume des *Contes de l'enfance et du foyer* des frères Grimm. Ce texte raconte l'histoire d'une belle princesse qui, partie se promener dans la forêt, perd sa balle en or dans une fontaine. Une grenouille lui propose d'aller la récupérer. En échange, elle veut que la princesse l'accepte comme amie. Impatiente de retrouver son jouet, la jeune fille y consent mais, une fois la balle récupérée, refuse de tenir sa parole. Son père la sermonne bientôt, lui ordonnant d'être fidèle à sa promesse. À contrecœur, la princesse prend la grenouille à son côté jusqu'au moment où, ne supportant plus l'animal qui la dégoûte, elle le jette contre un mur. La grenouille se transforme alors en beau prince charmant. Dans d'autres versions du conte, c'est un baiser de la princesse qui rompt le charme, délivrant le prince de sa verte apparence...

La répugnance de Virginita et Cunegonda à embrasser un batracien dans la pièce de Jean-Claude Grumberg est identique à celle de la princesse pour la grenouille dans le conte de Grimm. Par ailleurs, *Marie des grenouilles* semble s'inspirer de différentes versions du *Roi grenouille* puisque, si Marie délivre Brillant grâce à un baiser, le traitement qu'elle inflige aux grenouilles rappelle la violence exercée par la fille du roi sur sa compagne de jeu !

Enfin, la métamorphose de la grenouille en princesse fait aussi écho à des contes populaires espagnols, telle *La Fiancée grenouille*.

Brillant, un prince rusé. Ces clins d'œil aux contes traditionnels sont-ils les seules allusions de Jean-Claude Grumberg aux œuvres patrimoniales ? L'auteur connaît ses classiques et n'en reste pas là ! Brillant ne vous rappelle-t-il personne ?

Sa rencontre avec Marie est placée sous le signe de la bienveillance et de la bonté puisqu'il tente de la consoler. Refusant la violence (il veut être non pas le « chef des armées » mais un « chef désarmé »), il prône la tolérance et le respect de l'autre pour un monde en paix. Ainsi, plutôt que livrer bataille à l'ennemi, il préfère l'inviter à goûter.

Brillant est-il pour autant un doux naïf ? Loin s'en faut ! Dans ce monde où règnent la guerre et la violence, le prince utilise la ruse pour triompher de ceux qui l'attaquent. C'est grâce à elle qu'il parvient à tromper le sanguinaire et à le persuader de se transformer à nouveau en grenouille du Mexique, le rendant ainsi inoffensif. La ruse est une qualité récurrente des héros de contes ; elle est notamment la meilleure arme du Chat botté et le moyen de survie du Petit Poucet. Elle ponctue également les aventures de Renart le Goupil dans *Le Roman de Renart*. Et c'est encore elle que l'on retrouve chez Ulysse, dans *L'Odyssée* d'Homère. À cet égard, la ruse de Brillant invitant l'ennemi à goûter (il lui offre une nourriture abondante et l'enivre si bien que, rassasié et soûl, son adversaire ne peut plus se battre et vomit en apprenant la recette des crêpes qu'il vient de manger) rappelle celle utilisée par Ulysse pour vaincre le Cyclope dans *L'Odyssée*. Ulysse profite du sommeil du monstre, grisé par l'alcool qu'il lui a offert, pour enfoncer un épieu brûlant dans son œil et lui échapper, avec ses compagnons survivants. Mais alors que le héros grec recourt à un acte violent, Brillant ne fait aucun mal à l'ennemi.

Face au sanguinaire, un autre personnage du conte, le prince imagine une ruse différente qui, cette fois, rappelle celle du Chat botté contre l'ogre dans les *Contes* de Perrault. Brillant provoque son adversaire et le pousse à la métamorphose, comme le Chat botté le fait avec l'ogre qui devient souris. Mais, là aussi, alors que le Chat botté mange l'ogre métamorphosé, Brillant assomme le sanguinaire avec un madrier avant de le remettre dans son milieu naturel, la mare !

Une pièce pour rire ?

On rit beaucoup dans *Marie des grenouilles*, ce qui nous conduit à rattacher spontanément la pièce au genre de la comédie. Elle recourt d'ailleurs à différents types de comique : celui de répétition, quand Brillant, à plusieurs reprises, monte aux rideaux pour annoncer la météo ; celui de situation et celui de gestes, lorsque Brillant ridiculise l'ennemi ou le sanguinaire dans les duels qui les opposent. Mais Jean-Claude Grumberg utilise aussi le comique de mots. Il s'amuse pour cela à créer des jeux de mots, en rapprochant des termes proches par leur sonorité mais distincts par leur sens (« sire »/« cirer » ; « des armées »/« désarmé ») et en transformant les expressions toutes faites (« sur terre comme sur mare »). Le comique de mots est aussi présent à travers la variété des insultes proférées par le sanguinaire – « vieillard crapoteux », « vermisseau de caniveau » – et dans le décalage qu'opère le passage d'un registre de langue à un autre. Ainsi, le chambellan, qui utilise un langage souvent très soutenu, se laisse parfois aller à certaines vulgarités qui détonnent et choquent : « Qu'on le jette lui et sa cage dans quelque cul-de-basse-fosse en attendant qu'on puisse le retransformer en batracien et le refoutre à la mare. »

Sous le couvert du rire et de la fiction, c'est une humanité pleine de travers que Jean-Claude Grumberg épingle : les deux filles du roi ne sont pas prêtes à se sacrifier pour leur pays et c'est la « souillonne » Marie des grenouilles qui sauve la cité ; le chambellan n'agit que par intérêt, ce qui le conduit à être tué par le sanguinaire – véritable concentré de brutalité et d'intolérance ; enfin, la scène des chasseurs visant les tourterelles révèle la violence d'un monde où les intérêts des uns s'expriment aux dépens des autres. Le dénouement du conte lui-même est ambigu : Marie des grenouilles et son prince charmant vivent heureux dans un monde en paix, mais la situation paradisiaque ne dure pas – la fonte des neiges menace bientôt nos deux héros.

Autant de manières, pour l'auteur, d'expliquer que, si la nature humaine est imparfaite, on peut travailler, à l'image de Brillant, à la rendre meilleure, et de souligner que le bonheur est une chose fragile qu'il faut s'employer à cultiver. Car c'est bien une pièce à message, un conte à visée morale que Jean-Claude Grumberg nous offre. Écrite le 1er mai 2002, à la veille du second tour des élections présidentielles (comme le précise la première édition du texte) opposant Jean-Marie Le Pen, le président du Front national, à Jacques Chirac, le président de la République sortant, l'œuvre semble motivée par la nécessité de rappeler à chacun, petits et grands, les dangers de la haine et de la xénophobie (ou haine des étrangers). Dans cette perspective, le rêve effrayant du sanguinaire – purifier le monde aquatique pour qu'il ne compte plus qu'une seule race : «Une seule race ! Un seul roi ! Une seule grenouille ! » – rappelle celui des nazis pendant la Seconde Guerre mondiale, qui hante l'auteur, et fonctionne comme une mise en garde.

À la brutalité meurtrière, incontrôlable et absurde, souhaitée par le sanguinaire, le prince brillant oppose la tolérance et la réflexion ; entre les deux partis, aucun compromis n'est possible : « Il n'y a pas de milieu, princesse, il n'y a pas de milieu : la guerre ou la diplomatie, la force brutale ou la matière grise. »

Marie des grenouilles

*Pour la grenouille Rebetika
et les crapauds Simionovitch et Zakarias*

Personnages

LE CONTEUR
LE ROI
LE CHAMBELLAN
CUNEGONDA
VIRGINITA
MARIE
LE PRINCE SANGUINAIRE DU MEXIQUE
LE PRINCE BRILLANT
L'ENNEMI
LA FÉE
ET DES GRENOUILLES…

Dans la nuit des temps, dans l'obscurité des âges, lorsque la terre n'était encore que forêts bien sombres coupées de lacs, d'étangs et de mares, les grenouilles que la Très-Haute dans sa sagesse avait créées à son image s'épanouissaient et prospéraient, pacifiques et solidaires, dans le calme des eaux, sous la verdure des rameaux, à l'ombre des nénuphars.

Hélas, bien vite les grenouilles se divisèrent et se diversifièrent. On en vit apparaître des vertes, des rousses, des tachetées, des rayées, des moirées, des phosphorescentes, des muettes et des chanteuses, géantes ou microscopiques, communes ou rainettes [1], toutes se prétendant seules faites à l'image de la très haute et divine grenouille.

Bientôt les grenouilles mâles et femelles, toutes boursouflées de haine, finirent par se mener une guerre incessante, chacun chacune tentant d'occire [2] ou

---

1. Petites grenouilles à peau verte, aux doigts munis de ventouses.
2. Tuer.

d'asservir les autres. Ulcérée et amèrement déçue de ses créatures, la Très-Haute, dans sa sagesse, expédia près des mares, lacs et étangs des nuées de fées afin de changer en hommes les plus belliqueuses [1] d'entre elles.

Bien vite la quiétude [2] revint près des nénuphars. Les grenouilles organisèrent leur territoire, chaque espèce selon ses qualités et ses goûts se vit dotée d'une parcelle sur les berges avec accès direct à l'eau, les nénuphars restant accessibles à toutes. Las, les grenouilles agressives, une fois changées en êtres humains, se comportèrent sur la terre comme elles s'étaient comportées dans l'eau. Bientôt, ce ne fut par les bois et par les champs qu'insultes et malédictions, blasphèmes et sarcasmes, haine, haine et haine. Chacun chacune raillant la couleur de l'autre et jusqu'à son odeur, chacun chacune se traitant d'affreux crapaud avant de se jeter l'un sur l'autre pour en découdre, toujours au nom de la Très-Haute. Celle-ci alors renvoya des fées avec mission de retransformer et de réexpédier les meneurs les plus violents à l'ombre humide des étangs. Ainsi, au fil des premiers âges, tantôt grenouilles, tantôt humains, les plus belliqueux d'entre tous régnèrent sur l'un et l'autre monde, l'aquatique et le terrestre. Bientôt la discorde régna partout, tant sur la terre ferme que sur les étangs. La Très-Haute détourna alors son regard loin des mares

---

1. Violentes.
2. Le calme.

et des forêts, des plaines et des villages, les fées cessèrent de transformer les grenouilles en princes, charmants ou non, et les sorcières se lassèrent de retransformer les princes charmants en grenouilles, voire en crapauds chanteurs.

C'est en ce temps de désordres, de tristesse et de troubles que commence notre histoire.

À la cour du roi.

LE CONTEUR

Il était une fois dans un pays lointain un roi qui sur son lit de mort gémissait. Il fit venir tout son peuple et lui dit :

LE ROI

Mes enfants, je vais mourir, hélas je n'ai pour me succéder que des filles, l'une d'entre elles régnera, mais alors l'ennemi, sachant que vous n'êtes plus protégés par le bras d'un roi fort et vigoureux, envahira notre beau pays, pillera vos maisons…

Il sanglote.

LE CHAMBELLAN [1],

affolé.

Que faut-il faire, ô grand roi ?

LE ROI

Il faut que ma fille aînée et très aimée Cunegonda trouve parmi les grenouilles qui coassent dans les douves du château la grenouille de sang royal qui n'attend qu'un chaste baiser virginal [2] pour redevenir un grand noble et preux [3] prince charmant. Oh ! je meurs…

LE CHAMBELLAN

Vite, qu'on se hâte et qu'on aille quérir [4] les grenouilles afin qu'une à une la princesse les baise.

CUNEGONDA

Jamais, jamais je ne poserai mes royales lèvres sur des rotondités baveuses et boutonnantes ! Jamais !

---

1. Gentilhomme de la cour chargé du service de la chambre du souverain.
2. Le baiser d'une jeune fille vierge ; ici, par extension, le baiser d'une jeune fille n'ayant encore jamais embrassé.
3. Brave.
4. Chercher.

LE CHAMBELLAN

Même s'il s'agit de sauver le royaume et d'obéir aux royales volontés de feu votre royal paternel ?

CUNEGONDA

Je préfère renoncer au trône et ne me jamais marier.

LE CHAMBELLAN,
se tournant alors vers la seconde fille.

Virginita, princesse cadette et non moins aimée, après l'âpre renoncement de votre aînée, êtes-vous prête à tout faire pour régner et sauver le royaume ?

VIRGINITA

Je suis prête.

LE CHAMBELLAN

Vite, les grenouilles !

VIRGINITA

Je suis prête à embrasser toutes les grenouilles et tous les crapauds que vous aurez la bonté, noble chambellan, de me présenter, mais hélas je crains què ce ne soit en pure perte. N'est-il pas exigé de l'embrasseuse qu'elle n'ait jamais embrassé auparavant ?

LE CHAMBELLAN

Auriez-vous déjà embrassé, princesse ? *(Elle baisse les yeux. Le chambellan, avec espoir.)* Des grenouilles ? *(Virginita fait non de la tête.)* Des garçons ? *(Elle approuve. Le chambellan, écrasé de douleur.)* Ciel ! Enfer ! Malédiction et tout et tout... *(Silence pesant, prolongé et désolant.)* Seriez-vous prêtes, princesses, l'une d'entre vous tout au moins, à épouser l'ennemi quand il se présentera ?

TOUTES LES DEUX

Jamais !

CUNEGONDA

La dépouille mortelle de notre illustre père n'est pas encore ensevelie que déjà vous nous faites des propositions contraires à l'honneur et à la glorieuse histoire de notre lignée glorieuse !

VIRGINITA

Honte sur vous, chambellan !

LE CHAMBELLAN

Fort bien, dans ce cas qu'on aille quérir Marie des grenouilles et qu'on lui offre le trône !

VIRGINITA ET CUNEGONDA,
d'une seule voix.

Marie des grenouilles ? Le trône ?

CUNEGONDA

Cette souillon n'est pas de sang royal, que je sache...

LE CHAMBELLAN

Détrompez-vous, princesse aimée, votre père l'engendra un soir d'ivresse. Après ripaille, il tomba dans les douves et...

VIRGINITA

Ne me dites pas que la mère de Marie des grenouilles est elle-même batracienne ?

LE CHAMBELLAN

Non, c'était la souillonne des grenouilles de ce temps.

CUNEGONDA

La souillonne ?

LE CHAMBELLAN

Celle qui comme Marie aujourd'hui a pour mission de faire taire les grenouilles qui coassent la nuit dans les douves afin que le roi et sa cour puissent dormir tout leur saoul sur leurs deux oreilles.

CUNEGONDA

Comment les fait-elle taire ?

LE CHAMBELLAN

En les frappant dès qu'elles chantent d'un coup de rame
sur la tête. Mais voilà Marie, souillonne des grenouilles.
Approche, ne crains rien.

CUNEGONDA

Pouah ! Elle est verdâtre.

VIRGINITA

C'est Marie des crapaudes, oui.

CUNEGONDA

Elle sent la vase à plein nez...

LE CHAMBELLAN

Sois la bienvenue.

MARIE,
tremblante.

Côa ? Côa ? Côa ?

LE CHAMBELLAN

Ne parlerais-tu plus langue humaine ?

Qu'si, qu'si, qu'si !

Elle fait d'énormes bulles.
Les princesses pouffent.

LE CHAMBELLAN

Sache, Marie des grenouilles, que tu es fille de roi.

MARIE,
elle s'en étrangle.

Côaaa ? Côaaa ? Côaaa ? Côaaa ?

LE CHAMBELLAN

Et que si tu consens à baiser sur la bouche le prince charmant qui végète à coup sûr dans l'eau de nos douves sous la peau d'une grenouille, tu régneras. Il deviendra notre roi bien-aimé et toi notre reine.

MARIE

Reinette, je préfère.

LE CHAMBELLAN

Soit, reinette, mais presse-toi, j'entends déjà l'ennemi fourbir ses armes [1].

---

1. S'armer, se préparer à la guerre.

MARIE

Je vais les baiser toutes, grenouilles et crapauds aussi
s'il le faut.

LES DEUX SŒURS

Pouah ! *(Elles en crachent de
dégoût.)* Quelle dégoûta-
tion !

LE CHAMBELLAN

Avant tout, ôte-moi d'un
doute : as-tu déjà em-
brassé ?

MARIE

J'ai déjà embrassé et de bon cœur.

LE CHAMBELLAN,
mort de crainte.

Des garçons ?

MARIE

Non, des grenouilles.

soulagé.

Ah ! Et aurais-tu déjà au hasard de tes chastes baisers libéré un prince charmant preux et vaillant ?

MARIE

Jamais, mais il faut dire que je n'y pensais pas.

LE CHAMBELLAN

Penses-y désormais, baise avec ardeur en prononçant cette formule magique : « Noble grenouille, si prince tu fus, que ce chaste baiser te rende forme humaine. »

Près des douves et devant toute la cour, au bord de la nausée, Marie des grenouilles embrasse des grenouilles et des crapauds qu'on lui tend dans des épuisettes.

Soudain, après un baiser particulièrement puissant et tout en prononçant la formule magique, l'obscurité s'abat comme la foudre sur le palais royal et sur les douves.

Les assistants poussent des cris effrayés. Un éclair terrible, et la grenouille est transformée en prince charmant. Tous et toutes hurlent de joie et de stupeur mélangées. La lumière revient, resplendissante et même un peu sanguinolente.

Marie des grenouilles, joignant les mains, s'agenouille en se pâmant aux pieds du prince pas si charmant que ça...

MARIE

C'est par mon chaste et virginal baiser que tu repris forme humaine, ô...

LE PRINCE

Krrrrooooa, krrrrrooooa, krrrrrrooooa !

LE CHAMBELLAN,
expliquant aux autres.

Il faut lui laisser le temps de se réadapter...

MARIE,
poursuivant.

Tu seras notre roi et je serai ta reinette.

LE PRINCE,
la saisit soudain à la gorge et tâche de l'étrangler.

À mort les rainettes ! à mort ! Vive les grenouilles rousses du Mexique !

LE CHAMBELLAN

Mon Dieu ! Un sanguinaire !

Le prince charmant jette Marie au sol et tente de la piétiner en sautant très haut à pieds joints et en lui retombant dessus.

LE SANGUINAIRE,
hurlant.

Sus [1] ! Sus aux rainettes et autres grenouillettes ! Sus aux tritons ! Chassons également les crapauds nauséabonds ! Purifions le monde aquatique ! Une seule race ! Un seul roi ! Une seule grenouille ! *(Il se frappe sur la poitrine puis agite son épée en tous sens.)* Sus et mort ! Têtards et salamandres, tous tous ! *(Il avise soudain les deux princesses.)* Et c'est ces deux sauterelles-là que je veux comme femelles, pas la verte !

LE CHAMBELLAN,
affable.

Laquelle des deux précisément désires-tu, ô royal suzerain ?

LE SANGUINAIRE

Les deux ! Les deux ! Et toi, vieillard crapoteux, je vais te réduire en quenelle !

LE CHAMBELLAN,
s'empressant auprès de Marie.

Ne pourrais-tu très vite le retransformer en grenouille ?

---

1. À l'attaque !

MARIE,
écrasée au sol.

Il nous faudrait une fée.

LE CHAMBELLAN

Une fée ! Une fée, vite ! *(Rien ne se passe. À Marie.)* À défaut de fée, que faire ?

MARIE

Au moins une baguette magique.

Le sanguinaire du Mexique s'est jeté sur les deux princesses, qui fuient, affolées.

LE CHAMBELLAN

Qu'on aille quérir une baguette magique au bazar ! Fissa !

LE SERVITEUR

Le bazar est fermé à cause du grand deuil qui nous frappe.

LE CHAMBELLAN

Hélas ! Ciel ! Malédiction et tout et tout...

LE SERVITEUR,
pratique.

Enfermez-le en attendant que le bazar rouvre.

Sur un signe du chambellan, une cage de fer tombe sur le prince grenouille.

LE CHAMBELLAN ET LES AUTRES

Ouf !

Le prince grenouille écume dans sa cage, dont il tente de faire craquer les barreaux.

LE CHAMBELLAN

Qu'on le jette lui et sa cage dans quelque cul-de-basse-fosse [1] en attendant qu'on puisse le retransformer en batracien et le refoutre à la mare. *(Il va relever Marie des grenouilles.)* Comment te sens-tu, souillonne, oh pardon, princesse ?

MARIE

Jamais plus je n'embrasserai la moindre grenouille, maudites soient-elles, je leur donnerai de grands coups de rame sur la caboche pour les faire taire définitivement, toutes, même celles qui ne chantent pas !

LE CHAMBELLAN

Hélas, l'ennemi déjà gagne la frontière.

LES PRINCESSES ET LES AUTRES PRÉSENTS

Dieu tout-puissant, protège ton peuple.

---

1. Cachot souterrain.

Marie des grenouilles, il te faut encore essayer, trouve un roi pour nous et un mari pour toi parmi la gente grenouillante.

LE CHAMBELLAN

N'y a-t-il pas une espèce de grenouilles dont tu connaisses la sagesse et le courage, la force et la bonté, qui puisse faire régner la paix et la concorde à l'intérieur tout en nous protégeant de l'ennemi extérieur ?

VIRGINITA

Nous tous et toutes t'en prions.

MARIE

Je vais m'éloigner des douves du château, les eaux y sont peu claires, j'irai sur les berges du lac ombragé, les grenouilles y coassent mélodieusement à la nuit tombée.

LE CHAMBELLAN

Va, va vite ! Trouve-nous un roi.

Sur la berge du lac ombragé à la nuit tombée.
Les grenouilles chantent.

MARIE,
sortant une grenouille de l'eau.

Si je te baisais sur la bouche, ô grenouille chanteuse à
la voix mélodieuse, ne redeviendrais-tu point un noble,
preux et vaillant prince charmant ?

LA GRENOUILLE,
voix aiguë.

Ne me casse pas les branchies, je suis crapaud chanteur
et point vulgaire grenouille, et je n'embrasse pas les
dames, ça me dégoûte.

MARIE

Pardon, monseigneur. (*Elle le rejette à l'eau. Elle en tire
une autre.*) Et toi, jolie bayadère [1]…

LA GRENOUILLE

Côa côa…

---

1. Au sens propre, étoffe à larges rayures multicolores. Ici, sert à
caractériser la peau de la grenouille.

Que dis-tu ?

LA GRENOUILLE,
précipitamment.

Amène-moi à la cour du roi, je suis là depuis un siècle, c'est humide tu ne peux pas savoir, nauséabond avec ça, et très mal fréquenté !
Ça grouille de cracra là-dedans, ça chante, ça s'empiffre de petites bêtes immondes !

MARIE

Ô joie ! Vite, mon prince, donne ta bouche que je la baise et te délivre.

LA GRENOUILLE

Non non non non, je préfère qu'on fasse cela dans les règles en présence de la cour, du roi et de la princesse.

MARIE

Le roi, hélas, est mort ce soir.

LA GRENOUILLE

Chouette, ainsi régnerai-je illico. Comment est la fille du roi ? A-t-elle beau visage et large croupe ? La dot ? Comment est la dot ? Le royaume est-il bien prospère ?

MARIE,
l'interrompant.

La fille du roi, c'est moi.

LA GRENOUILLE

Toâ ! *(La grenouille se gondole.)* À d'autres ! Je t'ai reconnue ! Tu es la souillonne des grenouilles, celle qui nous tape sur la tête lorsque le roi veut piquer son roupillon.

MARIE

C'est moi qui vais régner.

LA GRENOUILLE,
se tordant de rire.

Même chez les crapauds buffles [1] tu ne régnerais pas. Il n'y a donc pas de miroir dans ton royaume ?

MARIE

Ah ! c'est comme ça ! Tiens !

Elle le refout à l'eau.

LA GRENOUILLE,
se cramponnant.

Attends, attends, je plaisantais, mène-moi à la cour !
(Marie lui donne un coup sur la tête, l'eau jaillit, elle est

---

1. Crapauds de grande taille, considérés comme nuisibles.

inondée.) Ne me laisse pas ! Ne me laisse pas ! J'ai des rhumatismes !

La nuit est totalement tombée. Les grenouilles chantent, le chambellan court en tous sens à la recherche de Marie des grenouilles. Le chant des grenouilles culmine, le noir de la nuit aussi.

LE CHAMBELLAN,
son lumignon à la main.

Tant de grenouilles qui ne savent que nous casser la tête et il faut qu'on tombe sur un fou sanguinaire du Mexique ! *(Il tourne en rond.)* Si Marie ne nous ramène pas un autre prince charmant, tant pis merci pardon, nous ferons de ce fou furieux notre roi, il épousera les deux princesses et repoussera l'ennemi, au moins avec lui on ne craindra rien aux frontières. *(Nouveau tour de piste.)* Marie ! Marie ! Marie des grenouilles, où es-tu ? As-tu trouvé un autre prince vaillant charmant, réellement charmant et tout et tout ?

Marie pleure au bord du lac, une grenouille surgit, elle est phosphorescente.

LA PHOSPHORESCENTE

Pourquoi pleures-tu ?

MARIE

Je ne trouve pas de prince charmant.

LA PHOSPHORESCENTE

Et c'est pour ça qu'on pleure ?

MARIE

Tu parles notre langue ?

LA PHOSPHORESCENTE

Je suis moi-même prince charmant transformé en grenouille il y a bien longtemps pour expier mes péchés.

MARIE

Dieu soit loué, je vais te baiser à l'instant et ainsi tu reprendras forme humaine.

LA PHOSPHORESCENTE

Non merci, non, je n'y tiens pas.

MARIE

Tu n'y tiens pas ?

LA PHOSPHORESCENTE

Je suis bien comme ça, je mène une vie paisible, le lac est pacifié, nous chantons tous en chœur, en harmonie…

MARIE

Tu es le roi qu'il nous faut. Tu pourras épouser l'une des princesses, elles sont fort gracieuses.

LA PHOSPHORESCENTE

Non non non, je n'y tiens pas, je te dis, merci, sans façon… *(Marie se remet à pleurer.)* Je veux juste que tu cesses de pleurer.

MARIE

Alors donne-moi un baiser.

LA PHOSPHORESCENTE

Tu croooâ ?

MARIE

S'il te plaît.

LA PHOSPHORESCENTE

Bon, mais uniquement pour sécher tes larmes…

La grenouille embrasse Marie, qui précipitamment prononce la formule magique.

Aussitôt la grenouille se transforme en un prince charmant à l'habit phosphorescent.
Marie pousse un cri de joie, le chambellan lui répond en écho.

LE CHAMBELLAN

Marie !

MARIE

Venez tous voir notre nouveau roi !

Le chambellan et la cour apparaissent, le jour s'est levé.

LE CHAMBELLAN

Vite, vite, le temps presse, l'ennemi va surgir, prince brillant, accepte la couronne des mains de ta reine.

BRILLANT

Reinette !

Marie, verte de confusion, lui met la couronne puis tous deux vont pour s'embrasser.

LE CHAMBELLAN,
s'interposant.

Non non non non non non, plus de baisers, plus de baisers !

MARIE ET BRILLANT,
ensemble.

Et pourquoi donc ?

LE CHAMBELLAN,
à Marie.

Si tu allais nous le retransformer en grenouille !

BRILLANT

J'en veux courir le risque.

Ils s'embrassent tendrement. Marie des grenouilles en verdit davantage encore de plaisir.

LE CHAMBELLAN,
solennel.

Sire, sache que l'ennemi…

BRILLANT,
bas à Marie.

Que m'ordonne-t-il de cirer, ma mie[1] chérie ?

LE CHAMBELLAN

Altesse royale, tu es dorénavant par la grâce de Dieu et de notre reinette notre roi, et à ce titre s'en rajoute un

---

1. Désigne la femme aimée.

autre plus terrible, tu es aussi de ce fait notre chef des armées !

Fort bien, ce titre me plaît, alors ?

Alors l'ennemi est à nos portes.

Très bien, qu'il entre.

Comment ça, qu'il entre ?

On ne laisse pas des gens à la porte, ça n'est pas poli, ou bien la mode serait-elle changée depuis que je ne suis plus…

Non non non non, la mode veut que tu le repousses.

Moi ?

Toi. N'es-tu pas notre porte-glaive, notre porte-étendard ?
(Soudain le prince grimpe à un mât ou, mieux, à un rideau. Le chambellan, affolé.) Que fait-il ?

BRILLANT

La pluie ! La pluie !

LE CHAMBELLAN

Que dit-il ?

MARIE

Il dit qu'il va pleuvoir.

CUNEGONDA

Comment le sait-il ?

LE CHAMBELLAN

C'est atavique [1]. Il n'est point temps de dire la météo. En tant que chef des armées, tu dois repousser l'ennemi.

BRILLANT

Comment faire si je suis désarmé ?

_____

1. Héréditaire, génétique.

LE CHAMBELLAN

Quoi ?

BRILLANT

Tu dis que je suis le chef désarmé, ça tombe bien, je n'aime pas les armes.

LE CHAMBELLAN,
articulant.

Chef-des-ar-mées !

BRILLANT

Oui, oui, j'ai compris.

LE CHAMBELLAN,
à part.

Un couard [1], raisonneur en plus… Tu dois te battre, sinon… *(Un prince en armure, gigantesque et puissamment armé, surgit, bousculant tout devant lui.)* Hélas ! Trop tard !

BRILLANT

À qui ai-je l'honneur ?

LE PRINCE ARMÉ,
terrible.

Je suis l'ennemi !

---

1. Poltron, individu peu courageux.

BRILLANT

Bienvenue à toi, ennemi, que veux-tu ?

L'ENNEMI

Me battre, tiens ! Ah ah ah !

BRILLANT

Te battre ? Ah ah ah ah ? Pourquoi ça ?

L'ENNEMI

Parce que je suis l'ennemi !

BRILLANT

Ah oui oui, mais tu tombes mal.

L'ENNEMI

Je tombe mal ?

BRILLANT

Oui, parce qu'ici c'est l'heure du goûter.

L'ENNEMI

L'heure du goûter ?

BRILLANT

Exactement.

L'ENNEMI

Je ne suis pas venu goûter, je suis venu trucider tout le monde ! piller ! voler ! brûler !

BRILLANT

Très bien, mais il faut d'abord goûter, c'est l'heure !

L'ENNEMI,
au chambellan.

Qui est cet hurluberlu ?

LE CHAMBELLAN

Hélas, c'est notre nouveau roi.

L'ENNEMI

Ah ah ah ah ah ah !

BRILLANT

Alors, que veux-tu ?

L'ENNEMI

Me battre, je te dis !

BRILLANT

Oui, oui, j'ai compris, mais d'abord, pour goûter, que veux-tu pour goûter, qu'aimes-tu ?

L'ENNEMI,
après réflexion.

Les cuisses de grenouille.

Silence terrible.

BRILLANT,
se contenant.

On n'en mange pas ici.

L'ENNEMI

Pourquoi ça ? C'est très bon.

BRILLANT

Notre religion l'interdit.

L'ENNEMI

Pas la mienne.

BRILLANT

Fort bien, alors va en manger chez toi.

L'ENNEMI

Je n'ai pas faim.

BRILLANT

Ce n'est pas poli d'arriver chez les gens à l'heure du goûter sans être invité et de refuser de goûter avec eux.

L'ENNEMI,
confus.

Pardon, je ne savais pas.

BRILLANT

On se force un peu ! Que dirais-tu de quelques crêpes ?

L'ENNEMI

Des crêpes ? Oui, pourquoi pas, mangeons quelques crêpes avant de nous battre.

BRILLANT

Chambellan, faites faire des crêpes aux princesses, vite, l'ennemi attend.

LES DEUX PRINCESSES

Jamais ! Nous ne sommes pas des souillonnes, nous sommes filles de roi, des crêpes, bouh !

MARIE

Je sais, moi.

BRILLANT

Alors, Marie ma mie... Cher ennemi, c'est ma reinette...

L'ENNEMI

Enchanté, un peu verte, non ?

BRILLANT

Pour une rainette, non.

L'ENNEMI

Chacun ses goûts. Je respecte…

VIRGINITA,
à Cunegonda.

L'ennemi a l'air très correct.

CUNEGONDA

Élégant également.

BRILLANT

Vite, des crêpes, Marie chérie, il faut que notre ennemi se sustente [1].

L'ENNEMI

Merci, j'avoue que c'est la première fois que je suis ainsi accueilli par un ennemi.

BRILLANT

Ah ! moi, je ne suis pas un ennemi, c'est vous, l'ennemi.

———————

1. Se nourrisse.

L'ENNEMI

Ah ah ah ah, mais nous nous battrons quand même ?

BRILLANT

Ce qui est dit est dit. D'abord on goûte, après...

On amène des crêpes, l'ennemi se goinfre. Il rote.

L'ENNEMI

Ah ! pardon, j'étouffe !

BRILLANT

C'est votre armure, dégrafez-la donc un peu.

L'ENNEMI

Vraiment, je peux ?

BRILLANT

À votre aise.

L'ENNEMI

Je la remettrai à l'heure du combat.

Il se dégrafe.

Comme il te plaira, ennemi de mon cœur, tu es ici chez toi.

L'ENNEMI

Pas encore, pas encore… *(Il rit. Il regarde avidement*[1] *autour de lui et avec concupiscence*[2] *les princesses et leurs bijoux.)* N'y a-t-il rien à boire ?

BRILLANT

Qu'on mette un tonneau d'ambroisie en perce[3] afin que notre ennemi se désaltère.

L'ENNEMI

Tu es trop bon, j'aurai bien du mal à t'égorger tout à l'heure.

BRILLANT

Ce sera un plaisir pour moi aussi, crois-le bien !

---

1. Avec convoitise.
2. Avec désir.
3. Qu'on fasse une ouverture dans un tonneau pour en tirer, non pas du vin, mais de l'ambroisie, substance à base de miel, servant de nourriture aux dieux de l'Olympe et procurant l'immortalité à ceux qui la goûtent.

L'ENNEMI,

chantant.

C'est à boire à boire à boire, c'est à boire qu'il nous faut, oh oh oh oh ! *(Soudain, le prince regrimpe au mât ou au rideau. L'ennemi en sursaute de frayeur, il se cache sous son siège.)* Qu'est-ce qui se passe ?

LE CHAMBELLAN,

sinistre.

C'est l'heure de la météo.

BRILLANT,

de là-haut.

Ce n'est plus de la pluie, c'est de la grêle qui nous arrive, de la grêêêêêêle !

LE CHAMBELLAN,

à part aux princesses et à la cour.

Ce têtard prédit le temps qu'il va faire au lieu de se battre, il ne connaît rien à la politique, allons libérer le sanguinaire du Mexique, il ne fera qu'une bouchée de l'ennemi.

BRILLANT

Un temps épouvantable !

L'ENNEMI,

inquiet.

On ne pourra pas se battre ?

BRILLANT

Si vous craignez la pluie, non. Encore des crêpes ?

L'ENNEMI

Je n'en puis plus, battons-nous, je vous prie, avant que le temps ne se gâte...

BRILLANT

À votre aise.

L'ENNEMI

Les crêpes sont délicieuses, cependant, mais, voilà...

BRILLANT

Marie, donne donc ta recette à notre ennemi, il pourra en faire une fois de retour chez lui.

MARIE

J'y mets de l'eau de rose...

L'ENNEMI

De l'eau de rose...

MARIE

Du velouté de nénuphars…

L'ENNEMI

Du velouté de nénuphars…

MARIE

Et de la bave de crapaud.

L'ENNEMI

Et de la bave de… Ah ! *(Il vomit.)* Ils m'ont empoisonné !

MARIE

Nullement, c'est une recette que ma mère bien-aimée, la souillonne des crapauds, m'a léguée.

L'ENNEMI,
affolé.

Mamélégué ?

BRILLANT

Pardon ?

L'ENNEMI

Désolé, mais je ne puis plus ni manger ni me battre, je reviendrai.

BRILLANT

Quand vous voudrez, on goûte à toute heure ici.

L'ENNEMI

Puis-je avoir un verre d'eau pour la route ?

MARIE

De l'eau croupie de l'étang ou de l'eau verdâtre des douves ?

BRILLANT

Avec chenille ou vermisseau ?

L'ENNEMI

Ah ah ah !

Il se sauve, sa cuirasse tombe, il court pour vomir encore.

BRILLANT

Désormais, tous nos ennemis seront ainsi reçus, qu'on se le dise…

LE CHAMBELLAN,
outré.

Ceci est tout à fait contraire aux lois ancestrales de la guerre et de la chevalerie. Quand l'ennemi surgit, il faut le repousser ou succomber avec panache [1].

───────────

1. Avec bravoure.

BRILLANT

Chambellan, nous avons réglé tous nos conflits en partageant nos berges, notre lac est pacifié, il n'y a plus de guerre entre les grenouilles et même entre les crapauds, la paix règne.

LE CHAMBELLAN ET LES PRINCESSES

Ce qui est bon pour les batraciens, voire les amphibiens, ne l'est certes pas pour les humains.

BRILLANT

La paix est bonne pour tout le monde.

LE CHAMBELLAN

Pas quand elle est contraire à l'honneur, à la bravoure, à la chevalerie. Qui refuse de se battre n'est pas digne d'être notre roi.

BRILLANT

Quand tu ne voudras plus de moi, nous irons, ma mie et moi, de par le monde régaler les populations de ses crêpes fameuses.

CUNEGONDA

À la bave de crapaud ?

LE CHAMBELLAN

(Il a des haut-le-cœur.)

Assez, assez, assez sur ce sujet !

BRILLANT

Ma mie, embrassons-nous.

Le chambellan en frissonne de dégoût.
Marie et le prince s'embrassent tandis que la nuit tombe. Les
grenouilles et les crapauds chantent à l'unisson. Le prince et
Marie chantent avec eux.

Dans les souterrains du château, le cul-de-basse-fosse où le
prince haineux secoue ses grilles en hurlant.
Le chambellan et les deux princesses entrent.

LE CHAMBELLAN

Prince sanguinaire, nous venons te trouver…

LE SANGUINAIRE

À mort ! à mort ! à mort !

LE CHAMBELLAN,
conciliant.

Soit, soit, mais avant il faut te dire que nous ne sommes pas heureux, pas heureux du tout du choix de notre nouveau roi, c'est une ex-grenouille phosphorescente, semble-t-il, timorée [1]...

LE SANGUINAIRE

Phosphorescente ! *(Il ricane.)* Je vais l'éteindre d'un seul coup de palme.

LE CHAMBELLAN

D'autant qu'il est pleutre [2] et se nourrit de bave de crapaud.

Les deux princesses font des mines atroces.

LE SANGUINAIRE,
riant.

Kof kof kof kof !

LE CHAMBELLAN,
obséquieux [3].

Tout à fait d'accord, mais si je te libère me promets-tu d'occire en combat singulier notre ennemi, bravement

_____
1. Craintive.
2. Sans courage, lâche.
3. Excessivement poli et flatteur.

comme il se doit, en preux chevalier droit et fidèle et tout et tout ?

Libère-moi, tas de boue, et laisse-moi convoler avec tes deux sauterelles, et je te fonderai une race de chevaliers sanguinaires qui fera trembler tous les maudits têtards sur terre comme sur mare !

C'est tentant, n'est-ce pas ? C'est tentant.

Ne pourrait-il choisir qu'une seule d'entre nous ?

Quand il s'agit de sauver l'honneur, princesse, on accepte des petits sacrifices !

Bon, bon, bon…

Libère-moi, vieille limace !

D'accord, d'accord, je te libère mais…

LE SANGUINAIRE

Ah ah ah ! *(Aussitôt il étrangle le chambellan et le piétine.)*
Crève, charogne ! À nous deux, blondes sauteuses ! *(Les
princesses s'enfuient. Le sanguinaire réduit sa cage en miettes
avant de se jeter à leur poursuite.)* On m'enferme pas,
moi ! Où est l'usurpateur à la bave de crapaud ? Où est
la mauviette des grenouilles ? Je vais les réduire en
charpie !

Les princesses rejoignent Marie et le prince sur la berge du lac.

LES PRINCESSES

Vite, vite ! Noble roi et toi, Marie, notre sœur ! Le
chambellan félon [1] a libéré le sanguinaire du Mexique
qui l'a écrasé derechef [2], il vient pour vous écrabouiller ! Il faut vous battre et nous sauver !

BRILLANT,
qui se prélasse au sol.

Mais oui, mais oui, qu'il vienne...

LES PRINCESSES

Le voilà ! Le voilà ! Le voilà !

LE SANGUINAIRE

À mort ! à mort ! à mort ! Où est la phosphorescente ?

----

1. Traître.
2. Une seconde fois, de nouveau.

Ici, ami !

LE SANGUINAIRE,
outré.

Qui parle d'ami ? Je suis une grenouille sanguinaire du Mexique, tu n'es qu'un vulgaire têtard phosphorescent, et tu te dis mon ami ?

BRILLANT

Parfaitement, viens là !

LE SANGUINAIRE

Où ? Je n'y vois goutte.

BRILLANT,
se dressant.

Regarde-moi, je brille.

LE SANGUINAIRE

J'arrive, je viens t'éteindre.

BRILLANT

Toi, une grenouille du Mexique, tu veux vaincre une phosphorescente ?

LE SANGUINAIRE

Et comment donc !

BRILLANT

Jamais une grenouille du Mexique n'a pu vaincre une phosphorescente, jamais.

LE SANGUINAIRE,
outré.

Qui dit ça ? Qui dit ça ?

BRILLANT

Moi.

LE SANGUINAIRE

Misérable têtard, vermisseau de caniveau !

BRILLANT

Je dis la vérité et tu le sais bien.

LE SANGUINAIRE

Je vais t'écrabouiller !

BRILLANT

Même un têtard phosphorescent n'a jamais été vaincu par une grosse grenouille du Mexique.

Comment ! Comment, comment peut-il dire ça !
J'enrage sang et mort ! Lacs et étangs, vous qui connais-
sez mes exploits, criez la vérité à la face de ce menteur !
Oh ! j'écume, j'en bave, j'en coasse de douleur ! Tous
les matins au petit déjeuner, je gobais une douzaine de
tes congénères ! Mesure-toi à moi si tu n'as pas peur !

BRILLANT

Volontiers, mais avoue que si tu triomphes de moi
d'homme à homme, cela ne prouve absolument pas la
supériorité des baudruches du Mexique sur les têtards
phosphorescents.

LE SANGUINAIRE
(Il en frémit et s'en tord les membres.)

Que faire alors ? Que faire ?

BRILLANT

Redevenons grenouilles et battons-nous loyalement
sous les nénuphars.

LE SANGUINAIRE

J'y consens, j'y consens, vite, vite. Mais comment puis-
je me transformer en grenouille ?

BRILLANT

Marie des grenouilles, ici présente…

MARIE

Non non ! Je ne l'embrasserai plus pour rien au monde, non non non !

LE SANGUINAIRE

Moi non plus, je préfère que ce soit l'une des deux blondasses.

Elles font non elles aussi.

BRILLANT

On ne s'embrasse plus, j'ai là un grimoire de l'enchanteur Merlin où sont gravées toutes les formules magiques.

LE SANGUINAIRE

Ça va être long, Qu'on me donne quelques cafards à grignoter en attendant.

BRILLANT

Patience, nous nous battrons bientôt, dans l'étang, et je te prouverai que jamais, au grand jamais, une grenouille mex…

Arrête, si tu le dis encore une fois, je me jette sur toi et je te dépiaute sans plus attendre !

BRILLANT

Voyons ce que dit le grimoire. Marie !

MARIE,
gênée.

Je ne sais pas lire.

LE SANGUINAIRE

Elle ne sait pas lire ! Ah ah ah ! Sang et bave ! Têtards et lézards ! Elle ne sait pas lire !

MARIE

Tu sais, toi ?

LE SANGUINAIRE

Jamais ! Jamais une grenouille sanguinaire géante du Mexique n'a su lire, jamais !

BRILLANT,
lisant.

D'abord se tailler une baguette magique.

LE SANGUINAIRE

Taillons, mais vite ! J'ai hâte.

BRILLANT,

arrachant un madrier [1] *qu'il tend à Marie.*

Tiens, tailles-en une là-dedans.

LE SANGUINAIRE

N'est-ce pas un peu gros ?

BRILLANT

Non non non, il faut bien ça. Ensuite… *(Il lit.)* « Le prince charmant désirant se retransformer en grenouille doit s'accroupir, se faire tout petit petit petit… »

LE SANGUINAIRE

Même une grenouille géante du Mexique ?

BRILLANT

Surtout les géantes ! Une fois tout petit, un coup de baguette magique lui est donné tandis qu'elle murmure : « Grenouille je fus… »

LE SANGUINAIRE

Grenouille du Mexique !

---

1. Planche épaisse utilisée pour les gros travaux de menuiserie et de construction.

Soit. « Grenouille du Mexique je fus, grenouille... »

... du Mexique...

« ... je veux être à jamais. »

Parfait, allons-y. Mais toi, têtard, tu te retransformeras quand ?

Juste après toi.

Pourquoi après moi ?

La grenouille du Mexique n'a-t-elle pas la priorité absolue partout toujours ?

C'est vrai, c'est vrai. Vite, alors. J'ai hâte d'arracher ta phosphorescente pelure et de donner tes cuisses à grignoter aux lézards.

BRILLANT

Recroqueville-toi !

LE SANGUINAIRE

Comment ça ?

BRILLANT

Recroqueville-toi, mieux que ça, petit petit… La baguette est prête, Marie ?

MARIE

Presque, mon doux maître.

BRILLANT

Voilà. Répète : « Grenouille du Mexique je fus… »

LE SANGUINAIRE,
tassé au sol, répète.

Grenouille du Mexique je fus… *(Le prince lui assène un formidable coup de madrier sur la tête. Noir. La grenouille du Mexique est au sol et gémit.)* Côa côa côa côa.

CUNEGONDA

Que dit-il ?

BRILLANT

Il doit dire qu'il a mal à la tête. Allez, vite à la mare.

Il jette la grenouille à l'eau.

LES PRINCESSES

Et toi, tu ne vas pas le rejoindre pour le combattre en combat singulier ?

BRILLANT

Moi ?

VIRGINITA

Ne veux-tu pas te soumettre au jugement de Dieu ?

BRILLANT

Je me soumets à la volonté de Dieu la divine grenouille qui est aux cieux et qui nous dit : « Vivez et laissez vivre ! » Donc, si on vous attaque, soyez plus rusé que l'attaquant.

CUNEGONDA

C'est très moche.

VIRGINITA

Ce n'est pas héroïque pour deux ronds.

Nous, nous aimons les nobles chevaliers porteurs d'étendards, de glaives, de panaches blancs, taïaut, taïaut, le front haut !

BRILLANT,
désignant la mare.

Si vous le vouliez, il fallait vous le garder.

VIRGINITA

Il était trop violent.

BRILLANT

Il n'y a pas de milieu, princesse, il n'y a pas de milieu : la guerre ou la diplomatie, la force brutale ou la matière grise...

LE CONTEUR

Ainsi l'histoire se poursuivit, le prince brillant rendit son peuple heureux et prospère sans guerroyer jamais.

Marie des grenouilles et son prince charmant s'aimèrent tendrement mais n'eurent pas d'enfants...

Un soir d'automne, le prince brillant, dont le nom de roi était Clément Ier le Lumineux, vint près de la mare écouter le chant des grenouilles et fut pris là soudain d'une grande tristesse.

On entend le chant des grenouilles.

BRILLANT

Marie...

MARIE

Oui, mon Clément, qu'as-tu ?

BRILLANT

Je me sens tout humide.

MARIE

Tout humide ?

BRILLANT

De l'intérieur, oui. J'aimerais redevenir grenouille. Les hommes, leur honneur, leur chevalerie, leurs discours, me lassent...

MARIE

Que deviendrai-je sans toi ?

Deviens grenouille toi aussi.

Moi ?

Tu connais notre langue, nos coutumes.

Je ne connais pas la vraie formule et nous n'avons pas de baguette magique.

Essayons.

Essayons quoi ?

Embrassons-nous en murmurant : « Grenouille je veux être... »

Et si tu te transformes, toi, et pas moi ?

Eh bien, tu me retransformeras d'un baiser.

Soit, essayons.

Ils essayent.
Baiser.
Noir, puis lumière.
Deux petites grenouilles se tiennent enlacées. L'une est phos-
phorescente, l'autre est une rainette.
Elles hurlent de joie.

LES DEUX GRENOUILLES

Côaaa ! Côaaa ! Côaaaaa !

MARIE

Que disons-nous ?

BRILLANT

Nous crions de joie.

MARIE,
regardant autour d'elle.

Ah ! comme c'est beau, comme tout est grand !

BRILLANT,
appréciant.

Et quel calme…

Soudain des bruits terribles, des cris, des explosions.

MARIE,
affolée.

Qu'est-ce que c'est, mon prince ?

BRILLANT

Hélas, la guerre.

MARIE

Qui fait la guerre ?

BRILLANT

Les hommes.

MARIE

À qui font-ils la guerre ?

Aux hommes. *(Un temps. Les explosions continuent.)* Plongeons vite.

J'ai peur de me noyer.

Pourquoi as-tu peur ?

Je ne sais pas nager.

Toutes les grenouilles savent nager.

Vraiment ?

Vraiment. Plongeons, plongeons !

On entend deux petites entrées dans l'eau tandis que la canonnade enfle et culmine.
Puis c'est le silence.
Dans l'eau de la mare.

BRILLANT

On est bien.

MARIE

Je nage ! Je nage !

Soudain.

UNE VOIX

Halte-là ! Qu'est-ce que c'est que ça ? Une phosphorescente avec une rainette ! Séparez-les ! C'est interdit !
Les phosphorescentes de ce côté-là, les rainettes par là !

BRILLANT

Mon Dieu, les sanguinaires du Mexique ont pris le pouvoir ! Vite ! Sauvons-nous sur la berge ! *(Ils sautent hors
de l'eau. Les sanguinaires les poursuivent.)* Embrassons-
nous, redevenons humains !

Ils s'embrassent.
Noir.
*Les deux grenouilles se retrouvent sur la berge avec des têtes
humaines et des corps de batraciens.*

MARIE

Mon Dieu, j'ai dû mal dire la formule.

Moi aussi, moi aussi. Comment faire ?

Ils sautent en tous sens.

MARIE

Une fée, vite une fée !

Une fée apparaît.

LA FÉE

On m'appelle ? Qui m'appelle ?

MARIE ET LE PRINCE

C'est nous, nous ! Regarde-nous !

LA FÉE

Oh, c'est ce qui s'appelle un transport loupé, c'est réparable, mais que voulez-vous être au juste, humains ou batraciens ?

MARIE ET BRILLANT

Qu'importe, pourvu qu'on vive ensemble et dans un monde en paix.

LA FÉE

Un monde en paix… ? Alors, mes tourtereaux, je vous
conseille tourterelles !

*La fée claque dans ses mains, deux tourterelles volent côte à
côte dans le ciel bleu.*
Soudain, des coups de feu claquent : « Pan ! Pan ! Pan ! »

PREMIÈRE TOURTERELLE

Qu'est-ce que c'est ?

DEUXIÈME TOURTERELLE

Les chasseurs. Ils nous tirent dessus !

LES DEUX ENSEMBLE

La fée ! Oh ! la fée ! Reviens vite ! Vite !

LA FÉE

Quoi encore ?

LES DEUX TOURTERELLES

Les chasseurs… Regarde !

Pan ! Pan ! Pan !

LES DEUX TOURTERELLES,
ensemble.

Un monde en paix !

Je vois ce qu'il vous faut !

Elle claque dans ses mains.
Les tourterelles disparaissent.
Deux pingouins apparaissent sur un petit coin de banquise
qui dérive.
Ils s'enlacent et s'embrassent.
Puis disent au revoir en agitant leurs ailerons…

LE CONTEUR

Ainsi finit notre histoire. Marie des grenouilles et son prince charmant vécurent heureux et eurent beaucoup de petits pingouins qui vécurent eux aussi dans un monde en paix, et c'est ce que l'auteur de toutes choses vous souhaite à tous et à toutes !

PREMIER PINGOUIN

La glace !

DEUXIÈME PINGOUIN

La glace ?

PREMIER PINGOUIN

Elle fond.

DEUXIÈME PINGOUIN

Elle fond ?

LES DEUX PINGOUINS,
ensemble.

La fée, oh la fée, reviens vite, vite…

LA FÉE

Ah non, ça suffit, la pièce est finie, débrouillez-vous !

FIN

Dis-moi, gros crapaud, si je pose un baiser mouillé sur tes lèvres, te transformeras-tu en prince charmant et m'emmèneras-tu jusqu'au royaume de ton père et feras-tu de moi ta princesse adorée et ta légataire universelle à l'abri du besoin pour toujours ?

S'il est vrai qu'une mauvaise fée m'a jeté un sort et que j'attends accroupie près de cette mare depuis plus d'un demi-siècle qu'une pure jeune fille me pose un baiser mouillé, sache, infime vermicelle, que je ne suis pas crapaud mais grenouille, et qu'en ma forme première je ne suis pas prince mais princesse.

Tant pis, adieu, moi je n'embrasse que les crapauds.

Jean-Claude GRUMBERG,
1er mai 2002.

Sur les traces de Marie et Brillant

LE CONTEUR

Le royaume des grenouilles est en guerre, les sanguinaires du Mexique, qui ont pris le pouvoir sur mare comme sur terre, terrorisent les habitants du lac et de ses alentours. La fée a été enlevée et elle est désormais prisonnière de ses tortionnaires. Elle lance alors un appel désespéré, depuis le fond des douves du château, où elle est enfermée.

LA FÉE

Notre seul espoir de paix est de retrouver Marie des grenouilles et Brillant ! Que celui qui parvient à les localiser et les ramener au royaume des grenouilles soit sacré prince des grenouilles ! Mais seul le plus brave et le plus rusé pourra surmonter les épreuves qui se présenteront à lui dans ce long périple jusqu'aux banquises du bout du monde. Qu'il vienne jusqu'à moi et je lui donnerai la formule magique permettant de retrouver nos deux héros !

LE CONTEUR

Lecteur, es-tu prêt à relever le défi ? Es-tu assez brave pour affronter les ennemis de Marie et de Brillant ? Connais-tu bien nos deux héros et leur histoire ? Franchis toutes les étapes, trouve la formule magique permettant de ramener Marie et Brillant au royaume et deviens le prince des grenouilles !

Étape 1 : rencontre avec le conteur

LE CONTEUR

Le futur prince des grenouilles se doit de connaître parfaitement l'histoire de Marie des grenouilles et du prince Brillant, afin de marcher dans leurs pas.

Tu trouveras les différentes étapes de leur parcours dans le désordre. À toi de les classer. Si tu y parviens, les lettres repères de chacune des étapes formeront un mot qui te sera très utile au terme de ton périple.

C. ... La guerre fait rage dans le monde des hommes et la tyrannie règne dans le monde des grenouilles. Marie et Brillant, voulant vivre en paix, demandent de l'aide à la fée qui les transforme en tourterelles.

L. ... Peu convaincu par Brillant, le chambellan décide de libérer le sanguinaire. Mais, une fois libéré, ce dernier le tue immédiatement.

L. ... Il était une fois un roi mourant, qui s'inquiétait pour l'avenir de son royaume. L'une de ses filles devait trouver et embrasser une « grenouille de sang royal » afin que celle-ci devînt « un grand et noble et preux prince charmant », successeur du roi. Cunegonda et Virginita ne pouvant s'acquitter de cette mission, le chambellan fait appel à Marie des grenouilles, fille illégitime du roi.

V. … Marie continue sa recherche mais en vain. Le chambellan commence à s'inquiéter car l'ennemi approche.

A. … Marie transforme en prince une grenouille sanguinaire du Mexique qui s'attaque à tout le monde. Le chambellan fait emprisonner ce prince sanguinaire.

I. … Marie transforme une grenouille phosphorescente en prince brillant. Ce dernier sera le nouveau chef du royaume ; le chambellan lui explique ses nouvelles fonctions.

E. … Mais les chasseurs traquent les tourterelles, ils deviennent donc pingouins. Ils vivent heureux et ont beaucoup d'enfants… Mais, un jour, la banquise fond !

E. … Le sanguinaire défie Brillant qui le vainc par la ruse.

N. … Après des années d'un règne paisible, Brillant, devenu Clément Ier le Lumineux, est nostalgique de sa vie de grenouille. Grâce à une formule magique, Marie et Brillant redeviennent batraciens.

O. … L'ennemi arrive et le prince Brillant adopte une stratégie particulière pour le repousser.

Inscris ci-dessous le mot reconstitué.

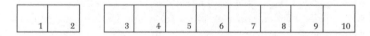

1	2		3	4	5	6	7	8	9	10

Bravo, tu peux désormais pénétrer dans le labyrinthe des contes !

Étape 2 : le labyrinthe des contes

LE CHAMBELLAN

Sois le bienvenu au château, brave aventurier ! Je suis le nouveau chambellan. Tout le royaume est à feu et à sang ; les grenouilles sanguinaires règnent aussi bien dans le lac que sur la terre, où elles sont devenues des princes sanguinaires. Tu n'ignores pas que c'est un prince de cette espèce qui a tué le précédent chambellan du château. Les ennemis ont enfermé les princesses Cunegonda et Virginita dans une pièce secrète. Je t'en prie, preux chevalier, cours les délivrer ! Mais il te faut d'abord parcourir un véritable dédale, le labyrinthe des contes. Quels contes de fées célèbres retrouve-t-on à travers certaines situations ou certains thèmes de *Marie des grenouilles* ? Quels éléments sont indispensables à l'écriture d'un conte ? J'espère que tu connais tes classiques... sans cela, tu es perdu !

Relie chaque personnage, objet, lieu ou situation de *Marie des grenouilles* à l'un de ses possibles modèles dans les légendes ou les contes merveilleux.

Virginita et Cunegonda ●	● Le jardin d'Éden d'Adam et Ève
Marie des grenouilles ●	● Le vin donné par Ulysse au Cyclope (« pur jus d'ambroisie et de nectar »)
Le prince Brillant ●	● Les sœurs de Cendrillon
Le madrier ●	● L'ogre
La grenouille sanguinaire ●	● La transformation de l'ogre en souris dans *Le Chat botté*
Le goûter (crêpes et ambroisie) donné à l'ennemi ●	● Cendrillon
La métamorphose du sanguinaire en grenouille ●	● Le Roi grenouille
Le monde des grenouilles avant la naissance des humains ●	● La baguette magique

LE CHAMBELLAN

À deux reprises, le prince Brillant use d'une stratégie pour combattre ses ennemis que, pour ma part, je considère comme tout à fait contraire aux lois ancestrales de la guerre et de la chevalerie mais qui, je dois bien le reconnaître, a fait ses preuves. Trouve le nom de cette stratégie et la porte de la pièce secrète où sont enfermées les princesses s'ouvrira. Il s'agit de la :

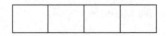

Étape 3 : les devinettes de Cunegonda et Virginita

CUNEGONDA ET VIRGINITA

Notre sauveur ! Tu es enfin parvenu jusqu'à nous !

VIRGINITA

Mais tu m'as l'air bien chétif… Tu n'as pas vraiment l'allure d'un noble chevalier…

CUNEGONDA

Où est ton glaive ? Encore heureux que tu ne sois pas un batracien ! Quelle dégoûtation j'aurais eu à t'embrasser sinon ! Mais assez bavardé, partons de cet endroit… Auparavant, il te faut encore surmonter une épreuve. Comme tu l'as certainement observé, les personnages de notre conte sont souvent peu académiques ; ils n'ont pas toujours les attitudes, le langage ou les actions conformes à ce qu'on attend d'eux. Sauras-tu reconnaître quels personnages constituent cette galerie de portraits ? À l'issue de cette épreuve, tu obtiendras un indice très utile pour retrouver Marie et Brillant.

Portrait n° 1

Traditionnellement, je ne suis pas une femme.
Je suis la créatrice du monde des grenouilles.
J'ai exclu les grenouilles agressives des mares, lacs et étangs, afin d'en faire des hommes.
Je suis la ....

Portrait n° 2

Dans les contes traditionnels, je suis souvent d'une aide précieuse pour le héros.

Personnage d'ordinaire positif, je suis un véritable félon dans *Marie des grenouilles*.

Adoptant le plus souvent un langage soutenu, je me laisse parfois aller à des familiarités, signes d'une vulgarité dissimulée sous des bonnes manières.

Je suis le ....

Portrait n° 3

D'un « chaste baiser virginal », je dois métamorphoser une grenouille royale en prince charmant.

Pourtant, loin d'être virginale, ma bouche a déjà goûté au baiser d'un garçon.

De ce fait, je ne peux sauver ni mon honneur, ni mon pays !

Je suis ....

Portrait n° 4

Le premier est un sanguinaire, le second n'« embrasse pas les dames ».

Le troisième est seulement intéressé par l'argent et grossier.

Le dernier, Brillant, est enfin digne du titre qui lui sera donné !

Il s'agit du ....

CUNEGONDA

Pour trouver l'indice, sers-toi des réponses aux devinettes précédentes.

1. Je suis l'initiale du personnage 4.

2. Les personnages 1 et 3 en comporte un et le personnage 2 en possède deux.

3. Je suis triple chez le personnage 3 et unique chez le personnage 4.

4. Je n'apparais chez aucun des personnages et je représente souvent l'inconnu.

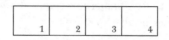

VIRGINITA

À mon tour de juger de ton intelligence et de ton aptitude à poursuivre l'aventure et devenir prince des grenouilles. As-tu été sensible à l'humour de l'auteur de *Marie des grenouilles* ? As-tu remarqué certains jeux de mots ? Résous ces charades et nous pourrons sortir d'ici !

Charade n° 1

Mon premier est la femme du roi.
Mon second est un suffixe diminutif féminin.
Et mon tout – à une voyelle près ! – est une espèce d'amphibien, ainsi que le titre auquel Marie tient.
Je suis la ....

Charade n° 2

Mon premier est l'article indéfini pluriel.
Mon second est un ensemble de soldats.
Et mon tout est un adjectif désignant l'absence de moyens de défense ainsi que le type de chef que Brillant veut être, contrairement au souhait du chambellan.
Je suis l'adjectif ....

Charade n° 3

On écrit des poèmes en utilisant mon premier.
Mon deuxième est la troisième note de la gamme.
Mon troisième est un récipient dans lequel les enfants mettent du sable.
Mon quatrième est une préposition indiquant l'origine.
Mon cinquième est la huitième consonne de l'alphabet.
Mon sixième est la maison de l'oiseau.
Mon septième est un jeune bovin.
Et mon tout est une insulte amusante et poétique employée par le sanguinaire.
Je suis ....

VIRGINITA

Pour trouver l'indice, il faut encore résoudre cette dernière charade :

Mon premier est la première syllabe de la réponse à la première charade.
Mon deuxième est la troisième lettre de la réponse à la deuxième charade.
Mon troisième est l'indice que tu as trouvé dans la galerie de portraits.
Et mon tout est une valeur prônée par Brillant face à l'ennemi et dont tous les personnages du conte manquent cruellement, excepté notre couple royal.
Je suis le :

 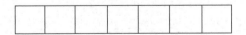

Enfin libres ! Merci à toi, preux et vaillant chevalier, et bon courage pour les prochaines épreuves qui t'attendent. Ah ! voici l'ennemi qui arrive, vite, partons… Adieu, illustre ami !

Étape 4 : les mots de l'ennemi

L'ENNEMI

Halte-là étranger ! Je suis l'ennemi ! Qui es-tu et que fais-tu là ? Tu ne passeras pas à moins de me prouver que tu en es digne, c'est-à-dire en réussissant l'épreuve de réflexion que je te propose. Elle est fondée sur ta connaissance du pouvoir, de la guerre et de la violence. Piller, voler, brûler, telle est ma devise ! Si tu veux sortir d'ici vivant, ne sois pas couard et reconstitue le mot mystère…

Verticalement

1. Costume de l'ennemi.
3. Ils tirent sur les tourterelles.
7. Tuer, dit familièrement.
11. Chevalier portant une épée.
13. Serrer la gorge pour tuer.

Horizontalement

A. Mot ancien pour « tuer ».

C. Cause de tous les maux dans le royaume des grenouilles et ce contre quoi lutte le prince Brillant.

E. C'est ce que fait tous les jours Marie aux grenouilles.

G. Insulte qu'utilise le sanguinaire au sujet de Brillant, avant même de le connaître. Elle désigne un individu peu résistant et peureux.

I. La grenouille du Mexique est de cette espèce.

M. Bravoure ou éclat qui font un vrai guerrier selon le chambellan.

Q. Cri meurtrier du sanguinaire.

Le mot mystère est :

1	2	3	4	5	6	7	8	9

Étape 5 : sur les traces de Brillant, contre le sanguinaire

LE SANGUINAIRE

Ah, tu oses venir me défier, vermisseau de caniveau ! Je vais t'écrabouiller, te trucider, te réduire en charpie ! Cette mauviette de Brillant a réussi à me piéger mais je me suis vengé en colonisant son royaume avec mes frères sanguinaires ! Tu ne m'auras pas, pauvre têtard !

LE CONTEUR

Vaillant chevalier, le sanguinaire s'apprête à t'attaquer ! À toi de marcher dans les pas de Brillant. Pour t'aider, je te propose de réviser les stratégies mises en œuvre par le prince pour vaincre ses ennemis… As-tu bien lu son histoire ? Es-tu son digne héritier ?

1. Quelle ruse Brillant utilise-t-il pour ne pas se battre avec l'ennemi ?

A. il lui dit qu'il est malade et que le combat serait donc injuste

B. il prétexte un rendez-vous urgent

C. il lui propose de prendre le goûter

2. Quel ingrédient entrant dans la composition des crêpes fait vomir puis déguerpir l'ennemi ?

O. de la bave de crapaud

P. des pattes d'araignée

Q. des yeux de grenouille

3. Alors qu'il était encore grenouille phosphorescente, comment Brillant a-t-il réussi à rétablir la paix dans le lac ?

K. grâce à l'exécution de tous les criminels

L. grâce à des baisers magiques

M. grâce au partage

4. Face au sanguinaire, Brillant choisit d'abord :

B. de le provoquer, en prétendant que jamais une phosphorescente n'a été vaincue par une grenouille du Mexique

C. de le flatter, en louant sa force

D. d'implorer sa pitié, en pleurant

5. Quelle est la stratégie de Brillant dans son duel contre le sanguinaire ?

Y. susciter la pitié du sanguinaire et lui apprendre la douceur

Z. endormir la violence et la vigilance du sanguinaire par des flatteries pendant que Marie l'assommera d'un coup derrière la tête

A. retransformer le sanguinaire en grenouille du Mexique et, pour cela, lui demander de s'accroupir, l'assommer et le remettre à l'eau

6. Quelle pourrait être la devise de Brillant ?
S. si on vous attaque, déguerpissez et sauvez votre peau !
T. si on vous attaque, soyez plus rusé que l'attaquant !
U. si on vous attaque, soyez plus fort et plus courageux que l'attaquant !

LE CONTEUR

Pour chacune des questions, place dans la case correspondante la lettre repère de ta réponse. Tu trouveras un nouvel indice pour l'énigme finale :

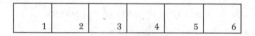

1	2	3	4	5	6

Étape 6 : dernières épreuves enchanteresses

LA FÉE

Bravo, vaillant chevalier ! Tu as réussi à sortir vainqueur de toutes ces épreuves et à me rejoindre dans ces douves où l'on m'a faite prisonnière. Mais une dernière étape t'attend. Si tu réussis les épreuves qui la composent, je te donnerai l'indice final te permettant de déchiffrer la formule magique. Grâce à elle, tu deviendras le prince des grenouilles et tu retrouveras Marie et Brillant. Mais attention, seul le plus sage des hommes peut utiliser cette formule… Seras-tu celui-là ? Commence par chercher l'intrus dans chacune des listes suivantes. Grâce à la grille p. 96, transforme les chiffres repères de tes réponses en lettres et découvre progressivement l'indice.

Liste n° 1	Liste n° 2	Liste n° 3
23. Grenouille	13. Preux	22. Chenille
5. Crapaud	20. Vaillant	18. Batracien
18. Têtard	15. Brave	3. Vermisseau
12. Lézard	9. Héroïque	6. Limace
7. Rainette	1. Suzerain	
6. Salamandre		

LA FÉE

Reinette ou rainette ? Marie ne veut pas être reine mais préfère être « reinette ». Le sanguinaire veut assaillir les « grenouillettes ». Ces mots sont formés à partir des noms « reine » et « grenouille » auxquels on ajoute le suffixe « -ette », qui signale une petitesse, une chose de faible importance, et sert à construire un diminutif. D'autres suffixes, employés dans le texte, influent sur le sens des mots : par exemple, le sanguinaire attribue aux deux princesses le nom « blondasses », formé à partir de l'adjectif « blond » et du suffixe « -asse » (suffixe négatif et, ici, vulgaire, qui convient bien à la personnalité du sanguinaire qui l'utilise !). On peut penser aussi au mot « verdâtre », caractérisant la couleur des eaux des douves, construit à partir de l'adjectif « vert », auquel on ajoute le suffixe négatif « -âtre ». Qu'en est-il des mots suivants ? Comptabilise le nombre de croix de la colonne « Oui » et reporte-toi à la grille p. 96 pour trouver la quatrième lettre de l'indice. Fais de même pour la colonne « Non », et tu obtiendras la cinquième lettre.

est formé sur le mot		OUI	NON
Baguette	Bague		
Trompette	Trompe		
Théâtre	Thé		
Miette	Mie		
Molasse	Molle		
Chouette	Chou		
Douceâtre	Doux		
Toilette	Toile		
Vinasse	Vin		
Carpette	Carpe		
Bellâtre	Beau/Bel		
Noisette	Noix		
Potasse	Pot		

LA FÉE

Les noms et leurs mystères… Dans les contes, les noms des personnages ne relèvent pas du hasard et sont souvent soigneusement choisis. Chez Charles Perrault, par exemple, de nombreux héros de contes tirent leur nom d'une particularité physique – Barbe bleue, Petit Poucet –, d'un vêtement – Peau d'Âne, le Petit Chaperon rouge –, ou de leur activité – Cen-

drillon. Qu'en est-il des héros de *Marie des grenouilles* ?
Pour chaque nom, choisis la symbolique la plus appropriée :
attention, il faudra te fier à la signification du conte dans son
ensemble pour donner la bonne réponse ! Grâce à la grille
p. 96, transforme les chiffres repères de tes réponses en lettres
et découvre la fin de l'indice.

Virginita

19. Ce nom désignant « une petite vierge » fait de Virginita
un symbole de pureté.
15. Ce nom est ironique ; Virginita n'a rien d'une vierge.
2. Ce nom montre que la sœur de Marie est espagnole.

Brillant

7. Ce nom signifie que le prince est fluorescent.
20. Ce nom signifie que le prince est un très bon élève.
5. Ce nom est lié au type de grenouille qu'était le prince
Brillant (une grenouille phosphorescente) et signale que le
prince est celui qui éclaire les âmes par ses qualités.

Le sanguinaire

23. Ce nom révèle que cet individu est un vampire.
10. Ce nom symbolise la violence de cet individu, véritable
tyran et bourreau prêt à tout pour obtenir le pouvoir.
3. Ce nom désigne une espèce particulière de grenouille.

Marie

22. Ce nom fait référence à la Vierge Marie. Comme elle,
Marie est une intermédiaire entre deux mondes – celui des
hommes et celui des grenouilles – et un symbole de bonté et
de générosité.

11. Ce nom montre que Marie des grenouilles va se marier à la fin du conte.

6. Ce nom est celui de nombreuses reines et montre donc l'origine et le destin royal de Marie des grenouilles.

U	V	A	R	I	S	X	T	Y	E	G	Q	L	H	D	F	K	O	C	W	J	N	Z
1	2	3	4	5	6	7	8	9	10	11	12	13	14	15	16	17	18	19	20	21	22	23

LA FÉE

À l'aide de la grille de lettres, reconstitue le dernier mot qui te permettra de déchiffrer la formule !

LA FÉE

Bravo, tu es arrivé au terme des épreuves et tu mérites le titre de prince des grenouilles ! À l'aide des mots découverts à chaque étape, reconstitue la formule qui te permettra de marcher sur les traces de Brillant. Cette phrase est magique : la prononcer te permettra de retrouver Marie et son prince ! Va vite les rejoindre et, ensemble, délivrez le royaume des grenouilles de la guerre, de la violence et de l'intolérance !

À ...., préfère la .... ; la ...., le .... et la .... sont ton .... !